GREAT BLUES SOLOS

by Fred Sokolo

ATN, inc.

はじめに

この小さなクイックガイド(*QWIKGUIDE*)を手にしてくれたキミに、ほんの軽い気持ちで「ブルースでもやってみるか」と本書を選んでくれたキミに、そして、ディープなサザン・ブルースの世界と、貴重な内容に気づいたキミに、まずは親愛をこめてエールを送りま〜す。

本書**フィンガースタイル・ブルース・ギター・ソロ**は、近年ロサンジェルスを中心に活躍している、アコースティック・ギター、スライド・ギター、5弦バンジョーの名手で、*Bobbie Gentry*や*Limeliters*などのサイドマンを務めた*Fred Sokolow*が、アメリカ南部の古きよき時代の香りをそのままに、初心者向けに書きおろしたものです。*Sokolow*はハリウッド映画Rampaging Nurses!の作曲家としても知られる才人です。

1920年代から30年代末にかけて、サザン・ブルースは爛熟期を迎え、キラ星のように名人たちが腕を競っていました。それらの中には、クロスロード伝説で有名な*Robert Johnson*や、現代のゴスペルの先駆者の一人*Willie Johnson*、ジョージア・ブルースの雄*Willie McTell*、ミシシッピー・ブルースの巨星*Gary Davis*などなど、とても書ききれないほどに隆盛を極めていました。しかしその頃のすばらしい曲や演奏がだんだん忘れられ、伝説の世界に入ろうとしているのは残念なことです。本書では著者*Sokolow*が、上記の名前をイメージして、その当時の曲想や演奏スタイルを、写し絵のように現代に蘇らせてくれました。

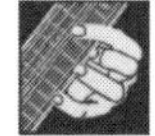

ご存知の方も多いと思いますが当時のサザン・ブルースは、12小節で独自のコード進行をもつ現在のブルース形式の曲ばかりではありません。数の上では8小節や16小節の曲がむしろ多いかもしれません。世界で最もポピュラーなSt. Louis Blues(1914年)でさえ、テーマは8小節で中間部でやっとブルース形式となっています。現在のようなブルースが定番となったのは1940年頃からといわれていますが、本書でも、定番のブルース形式の曲は1曲めのNot Supposed To Be That Wayだけで、それ以外はバラードやラグタイムなど、ヴァラエティーに富んでいます。

この小冊を選んでくれたキミは、ひょっとしてすっごくマニアックなギタリストかもしれません。もしそうだとすると、本書はキミの生涯の友になれるかもしれません。しかし本書はマニアックな人ばかりを対照としたものではありません。付属のCDを聴けばすぐに分かるように、とても楽しく、アコースティック・ギターの魅力にあふれた曲ばかりです。あいにく超絶名人技をもち合わせていないキミでも、本書なら音とタブ譜を参考にコツコツと練習すれば、やがてミシシッピー・デルタあたりに到着するはずです。健闘を祈ります。

もくじ

イントロダクション

この教材に収められている曲は、*第一世代のすばらしいアコースティックのブルース·ギタリストたちに影響を受けたものです。彼らは、ブルースをレコーディングした最初の人たちでもあります。ある時、それまで私が聴いたこともなかった1920年代、1930年代の南部の音楽に接して、私はブルースの幽玄の世界に心を開くようになりました。そしてブルースが常に伝える多くのフィーリング、感動、生き方などに心が向くようになったのです。

私の曲が、皆さんに同じ感動を呼び起こし、聴いて、演奏して、そして楽しめることを願います。また、私の曲があなたに刺激を与えることができて、次にあげるプレーヤーたちの音楽を学習する気持ちになってくれることを祈ります。*Jimi Hendrix*、*Stevie Ray Vaughan*やその他数えきれない音楽の魔法使いたちの演奏を聴き、それがあなたのギターへの情熱を燃え上がらせてくれることを願っています。

掲載曲について

Not Supposed To Be That Way　track 1／page 8

12弦ギターで弾く*Huddie Ledbetter*（*Leadbelly*）のピッキング·スタイルをこの曲で練習するとよいでしょう。

Take Me Back　track 2／page 12

特に誰かを想定して創った曲ではありませんが、*Bessie Smith*、*Ma Rainey*など、1920年代のすばらしい女性ブルース·シンガーたちによって広められたラグタイム風のブルースを意図しました。

Oh What a Beautiful Day　track 3／page 16

昔のボトルネック奏者の多くは、ワン·コードの曲（1つのコードしか使わない曲）、または、1音か2音を使ってⅣコードとⅤコードの感じを出して演奏をしていましたが、このオープンGチューニングの曲は、Gブルースでの3つのバレー·コード（G、C、D）を簡単に演奏することができます。この曲を弾くたびに、*Mance Lipscomb*、*Gary Davis*、*Blind Willie Johnson*などのゴスペル·チューンを思い出します。

* いろいろな説があるが、ブルースのレコードが発売されるようになった1910年代初めから、電気楽器が導入され始めた40年代初めまでという説が多い。

I Tried and I Tried　track 4／page 20

この曲には、*Mance Lipscomb*、*Big Bill Broonzy*、*Brownie McGhee*を含む私の大好きなプレイヤーたちのフレーズや、*Robert Johnson*のターンアラウンドの模倣が入っています。Aのキーでは、ハイ·ポジションでフレーズを弾いても、開放弦を弾いて低音を保つことができるのでとても好きです。

I Had To Do It　track 5／page 24

この曲は、*Jesse Fuller*を頭に思い浮かべて創りました。私は何度も彼のワンマン·バンド（いろいろな楽器を1人で演奏する）の演奏を見ました。*Blind Blake*、*Blind Willie McTell*、*Blind Boy Fuller*のようなラグタイム風のフィンガーピッキングで演奏する人たちのEast CoastのPiedmont schoolをかいま見て興奮したものです。

Take Your Time　track 6／page 28

この曲は、上記の作品以上に、*Reverend Gary Davis*の大胆なピッキングを取り入れています。私は、1960年代の初めに、フォーク·フェスティバルで彼の演奏を見た時、アコースティック·ギターでいろいろなことができるのだと気づきました。

Go Downtown　track 7／page 34

このオープンDチューニングの曲は、*Skip James*に合い通じるものがあり、また、*Furry Lewis*をも思い出されます。彼らは、転がるようにくり返されるリズムで眠りに誘われそうな夢幻の世界を演じます。そしてもちろん、12弦ギターの低音のウネリをとても好んでいます。

The Way I Am　track 8／page 37

この曲は、今ではオルタナティヴ·ロック系のギタリストにもよく使われるようになった、ドロップDチューニング（低音弦のEをDに下げる）で弾いています。すばらしいミシシッピーのフィンガーピッキング·スタイルのもち主、*John Hurt*からインスピレーションを受けました。彼のCDは、今でも手に入るので、*Tom Paxton*が彼のために書いた美しい曲を聴いてみましょう。

Not Supposed To Be That Way

Fred Sokolow

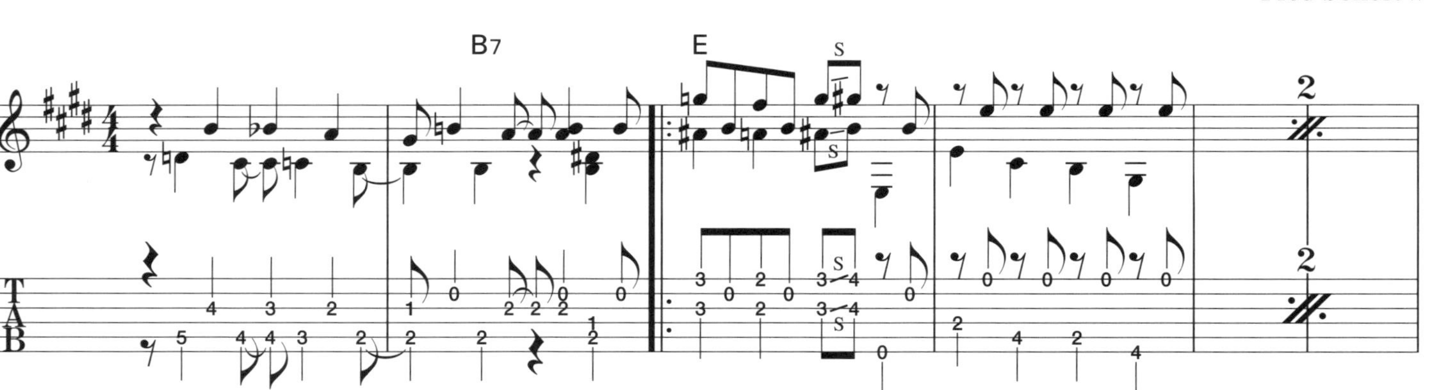

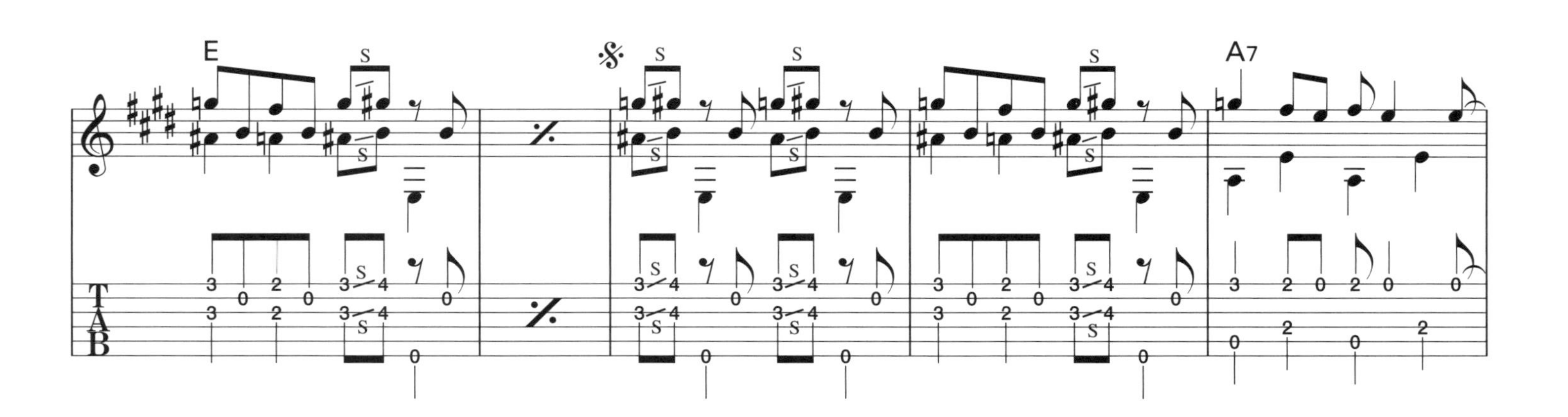

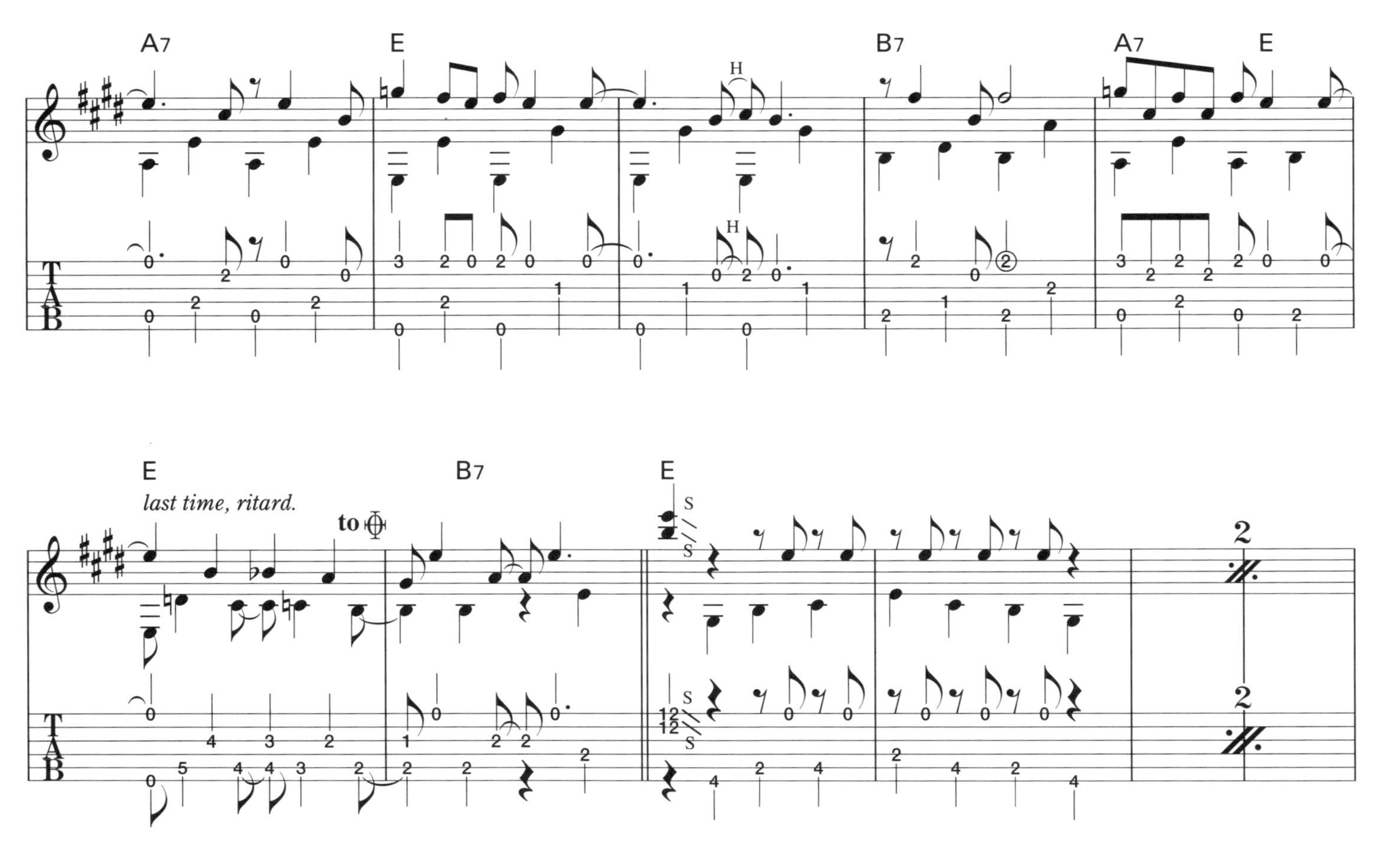
A7
E
B7
A7
E
E
last time, ritard.
to Φ
B7
E
2
2

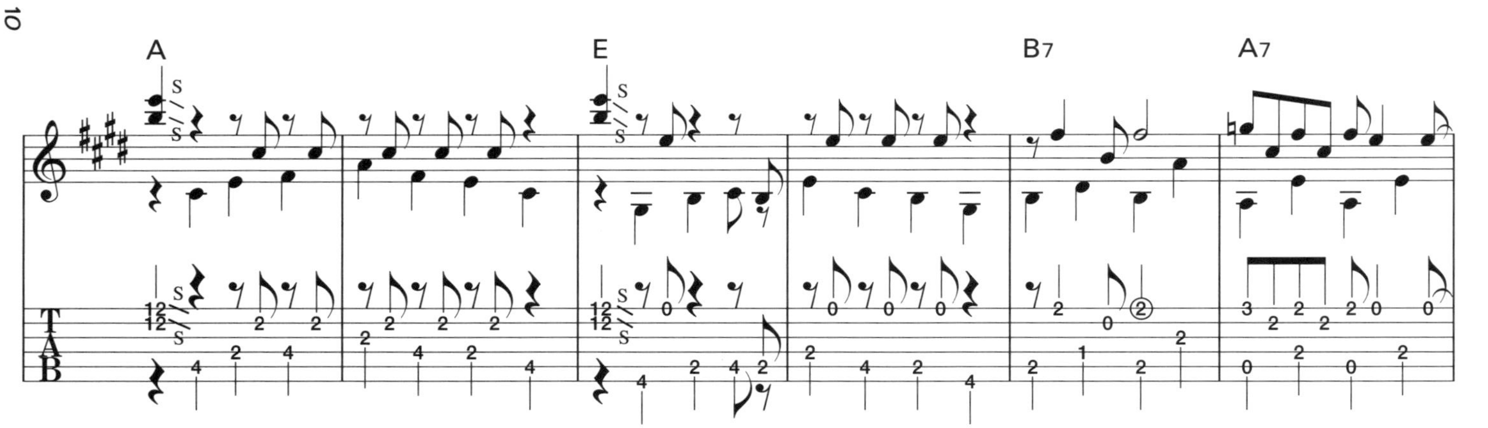
A
E
B7
A7

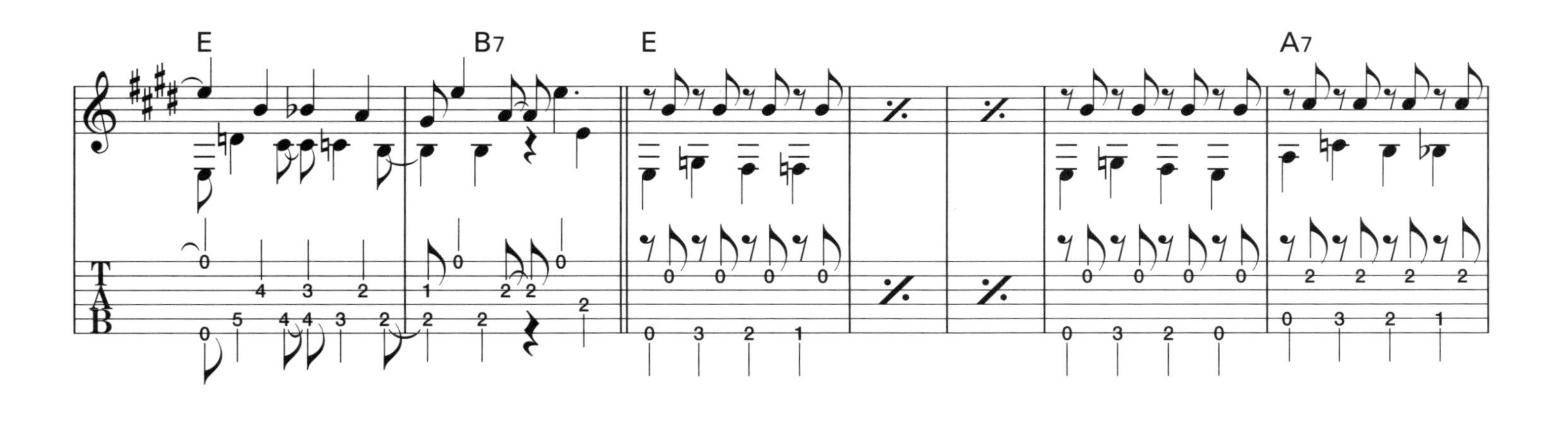
E
B7
E
A7

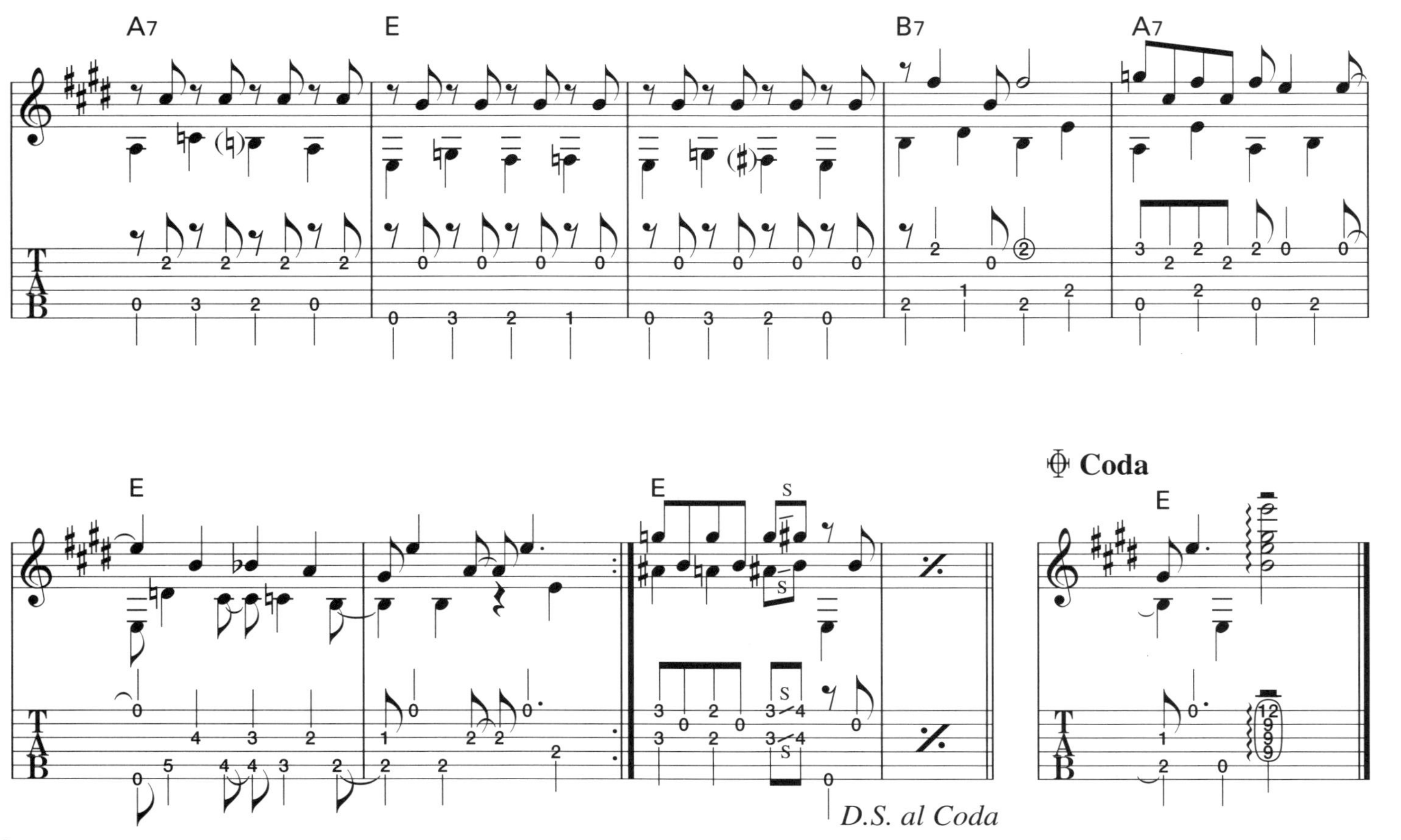
A7
E
B7
A7
E
E
Coda
E
D.S. al Coda

Take Me Back

Fred Sokolow

C Am D7(9) G C Am

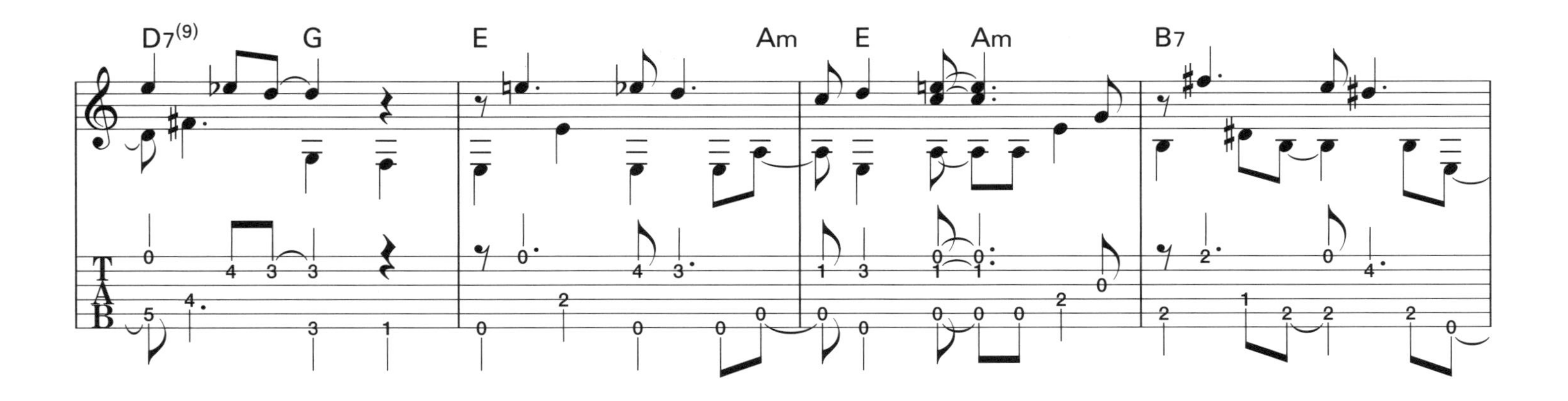

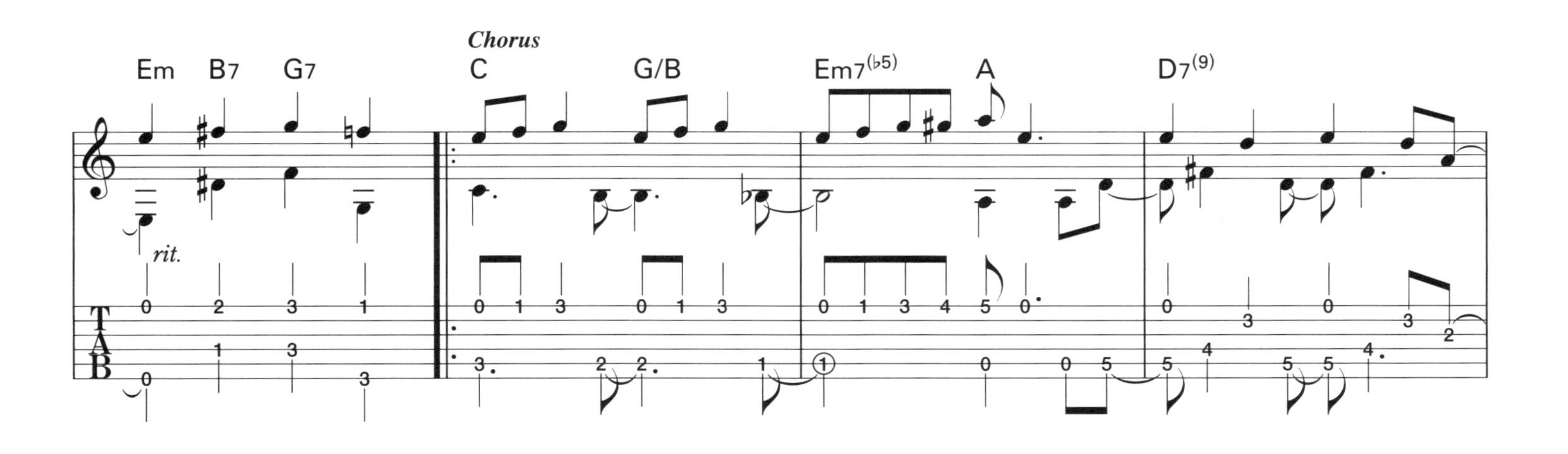
Chorus
Em B7 G7
C G/B Em7(♭5) A D7(9)
rit.

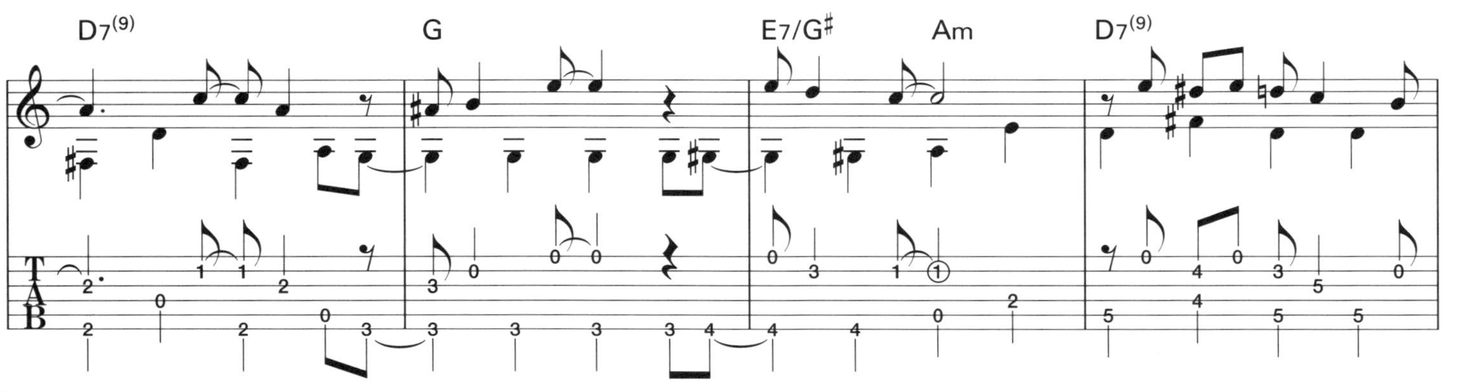
D7(9) G E7/G♯ Am D7(9)

G7
C
G/B
Em7(♭5)
A
Dm
D♯dim
5fr
4fr
D♯dim
C/E
E♭dim
G7/D
G
C/E
E♭dim
5fr
5fr
5fr
T
A
B

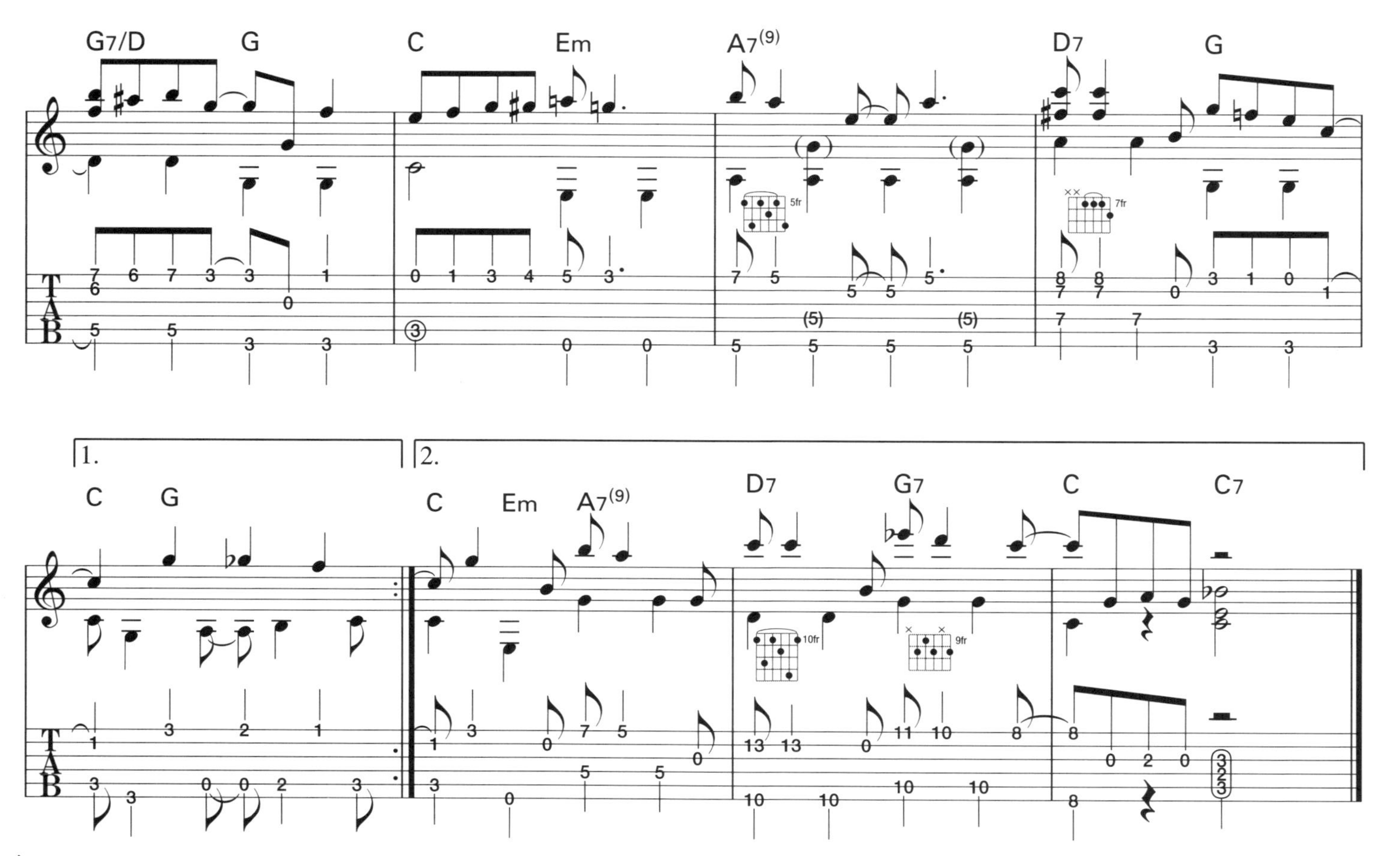
G7/D
G
C
Em
A7(9)
5fr
D7
7fr
G
1.
C
G
2.
C
Em
A7(9)
D7
10fr
G7
9fr
C
C7

Oh What a Beautiful Day

Fred Sokolow

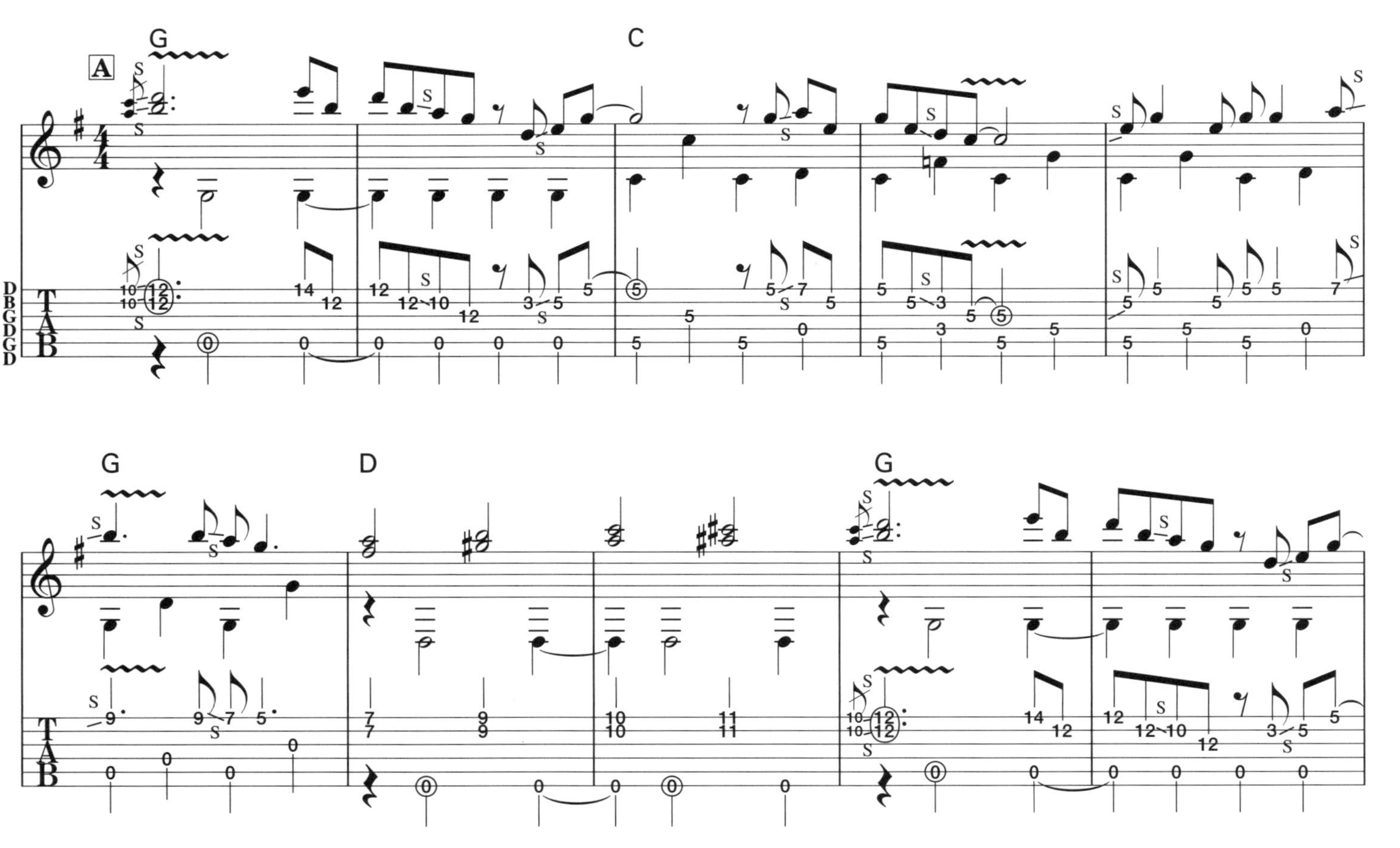

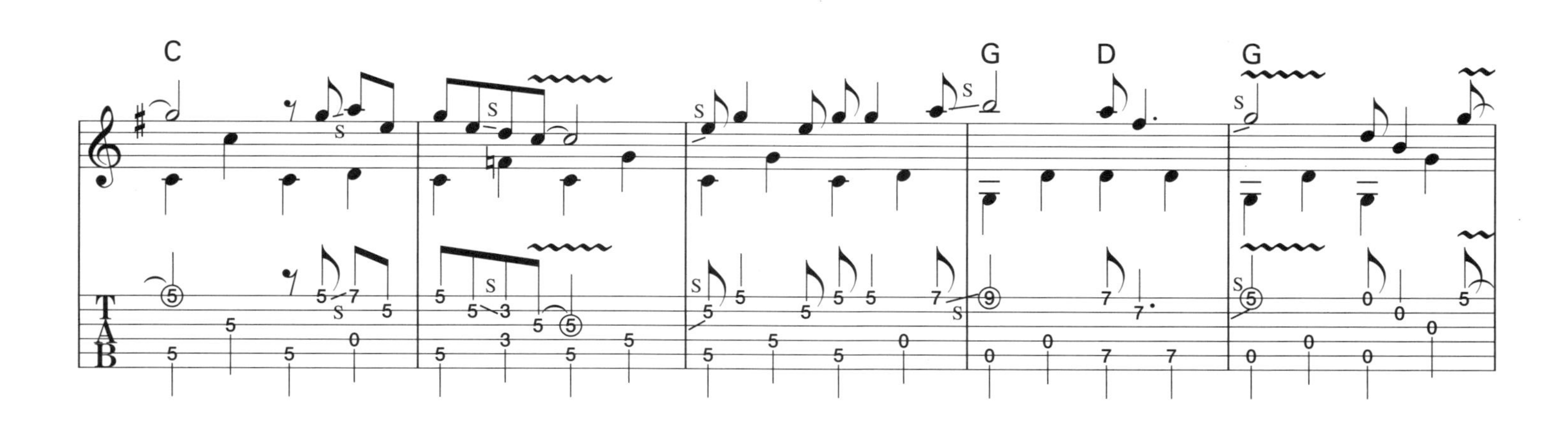
C
G
D
G

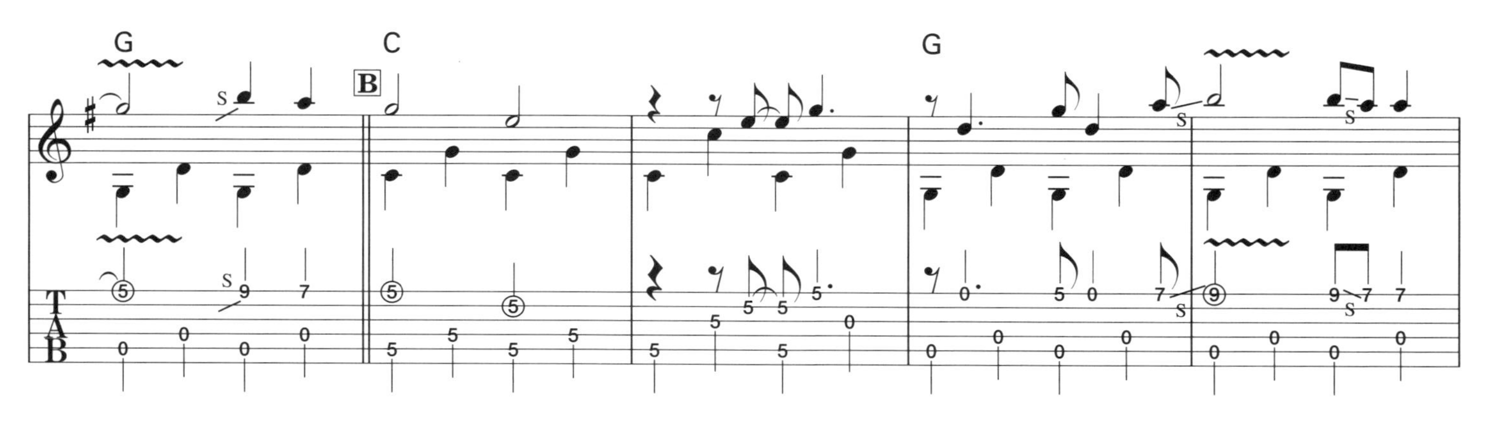
G
B
C
G

C
G
D
G
C
C
G
C
TAB

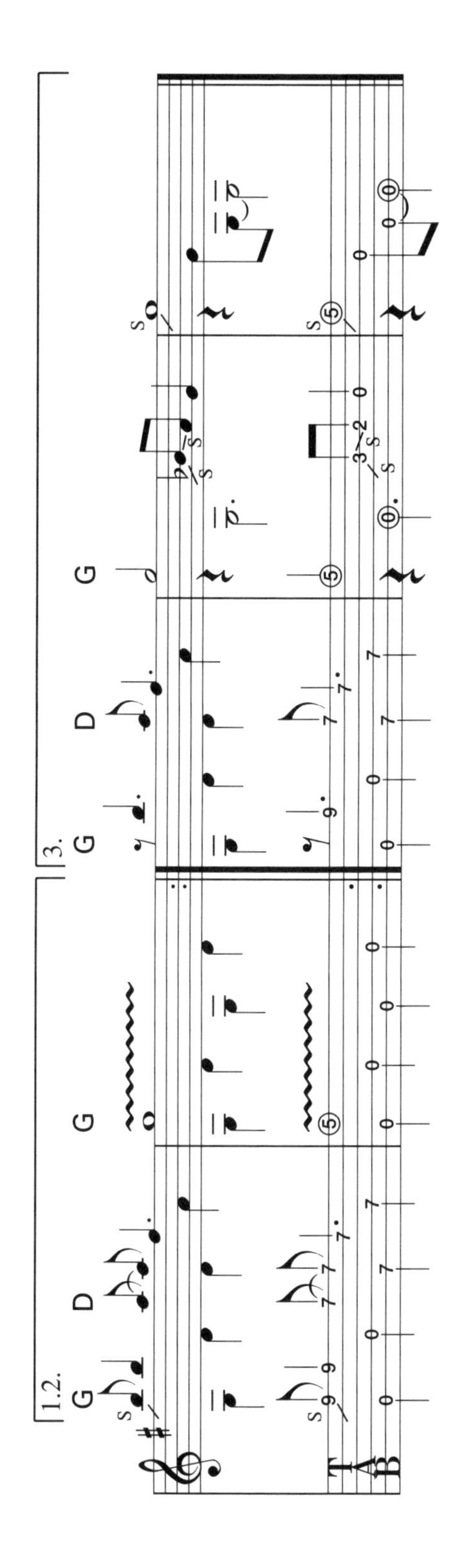
1.2.
G
D
G
3.
G
D
G

I Tried and I Tried

Fred Sokolow

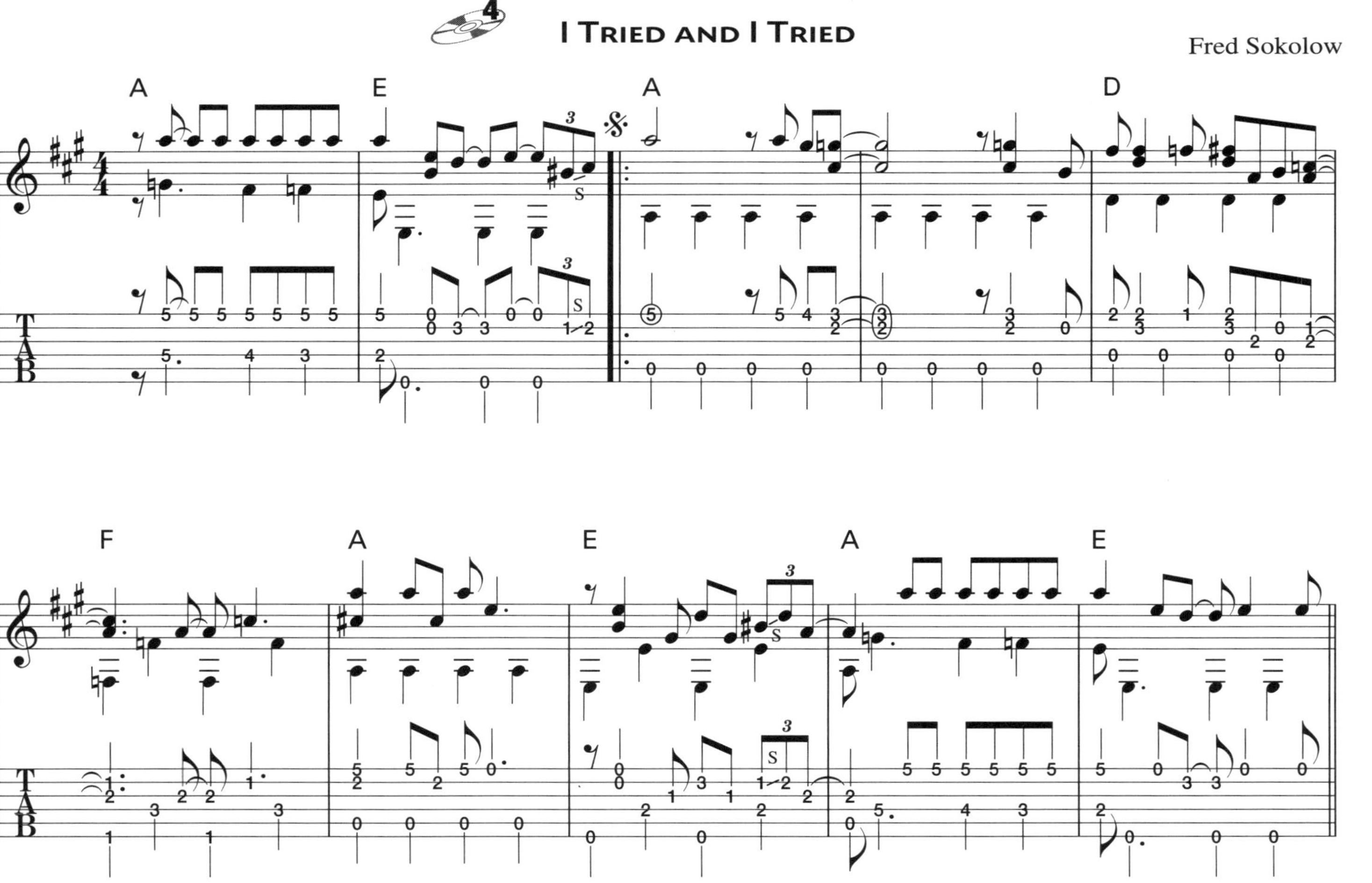

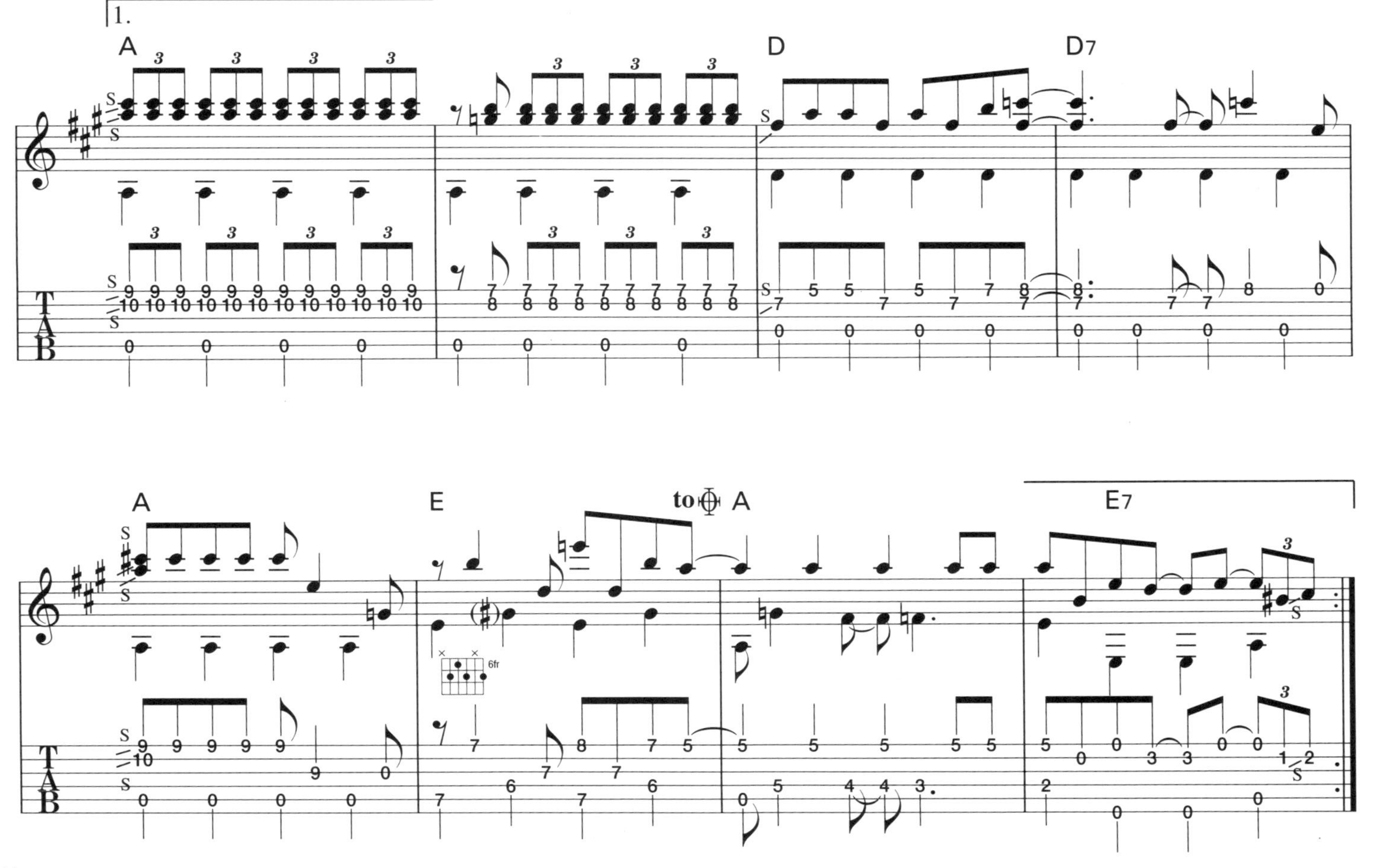
1.
A
D
D7
A
E
6fr
to Φ A
E7

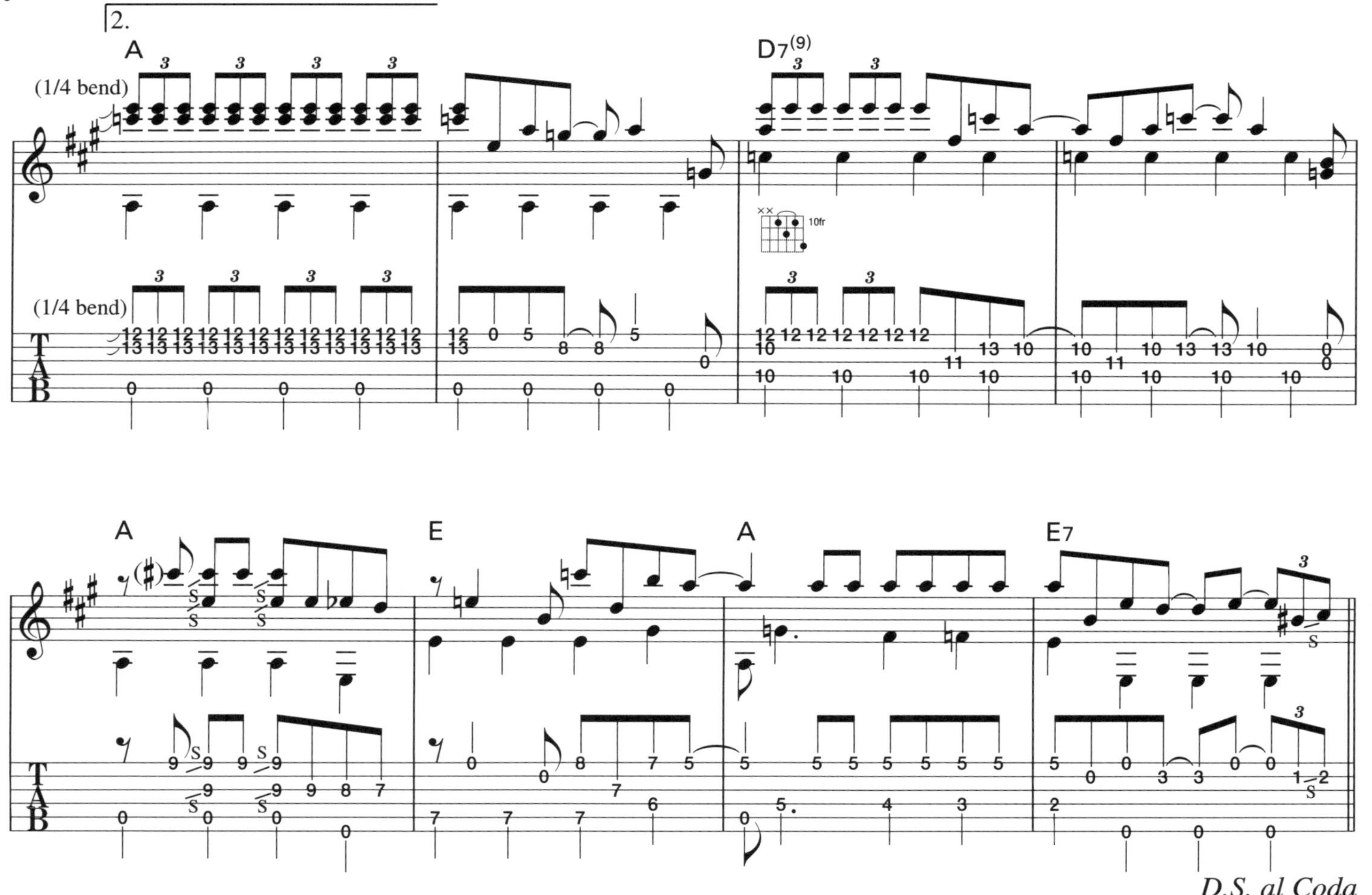
2.
A
(1/4 bend)
(1/4 bend)
D7(9)
10fr
A
E
A
E7
D.S. al Coda

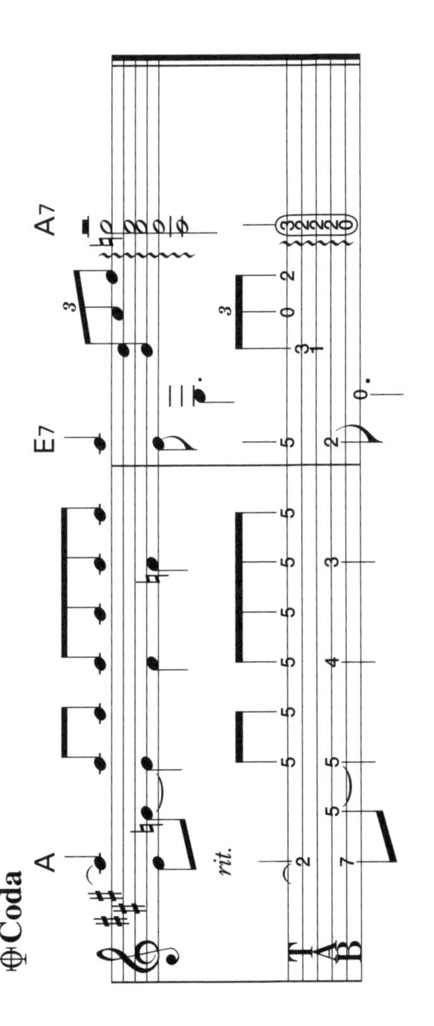
Coda
A
E7
A7
rit.
TAB

I Had To Do It

Fred Sokolow

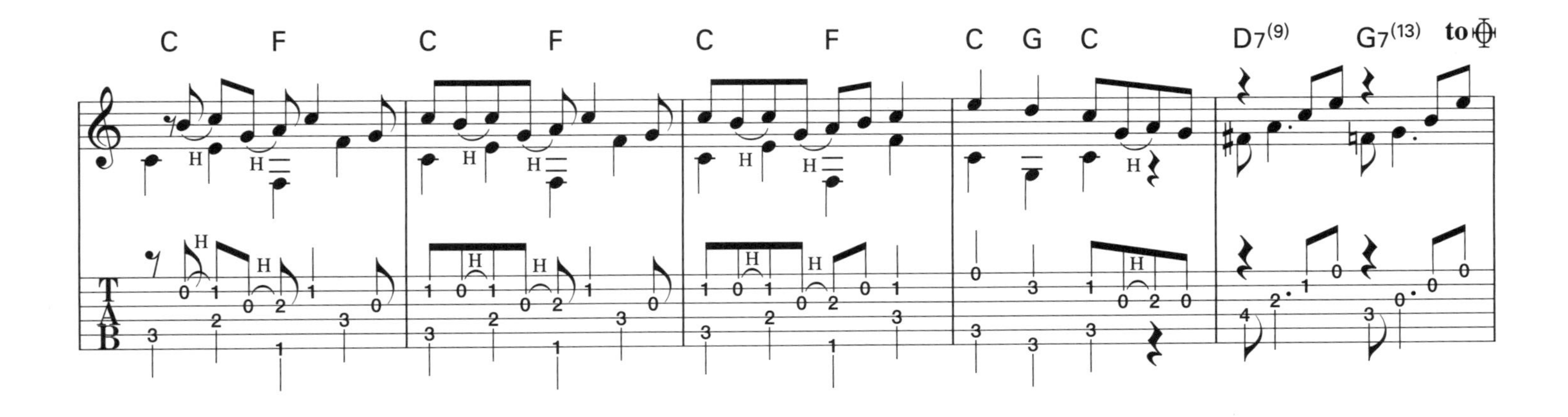

C
A
D
G
G
3fr
C
8fr
D7(9)
G7(13)
C

C
D
T
A
B
G
C
G
T
A
B

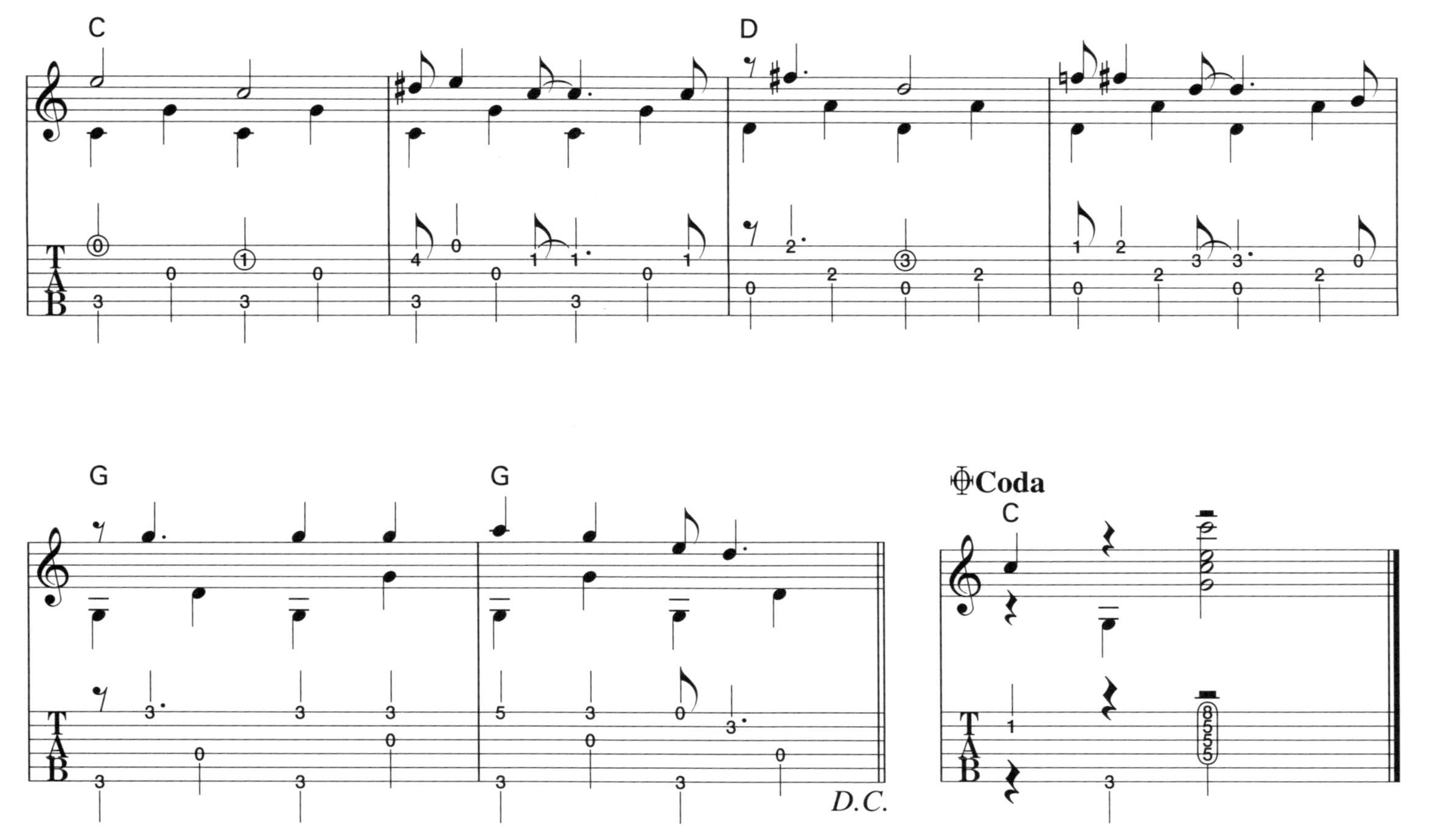
C
D
G
G
D.C.
Coda
C

6

Take Your Time

Fred Sokolow

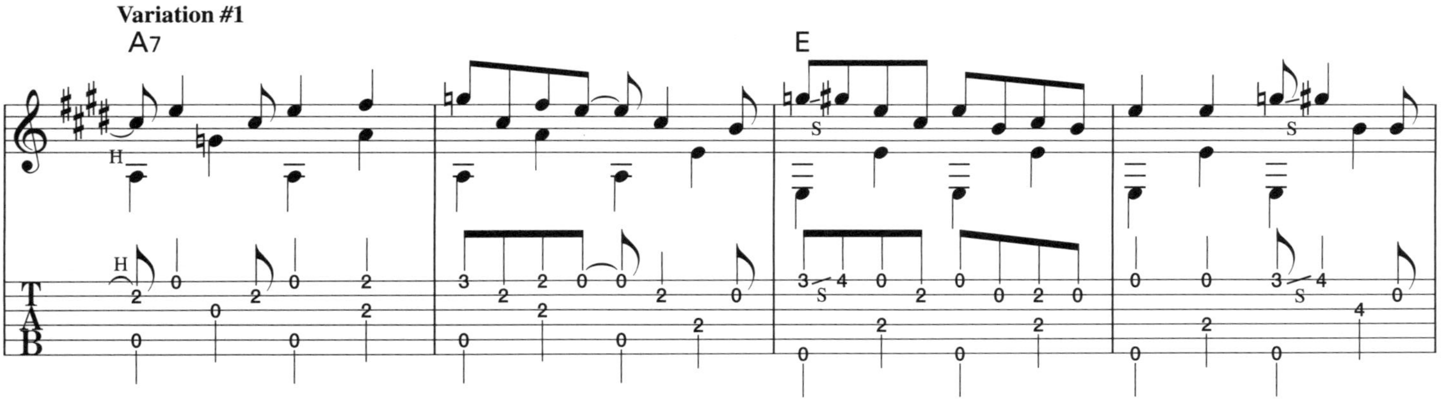

F♯7(9) B7 E Harm. Harm. 12

Variation #3
E
S S H

Variation #1
A7
H E S S

F♯7
B
E
Variation #2
A
A7
E
A
A♯dim
E
C♯7(♯5)

F♯7(9)
B7
E
E
S
H
A
E
T
A
B

F♯7
B
E
Variation #2
A
A7
E
A
A♯dim
E
C♯7(♯5)
F♯(9)
B7
1.2.
E

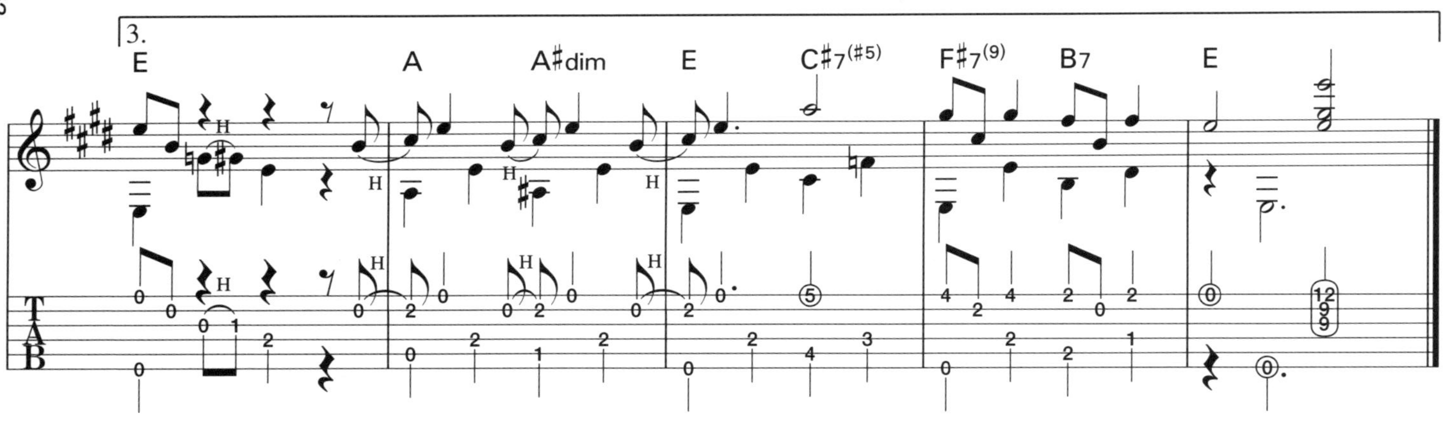
3.
E
A
A♯dim
E
C♯7(♯5)
F♯7(9)
B7
E
T
A
B

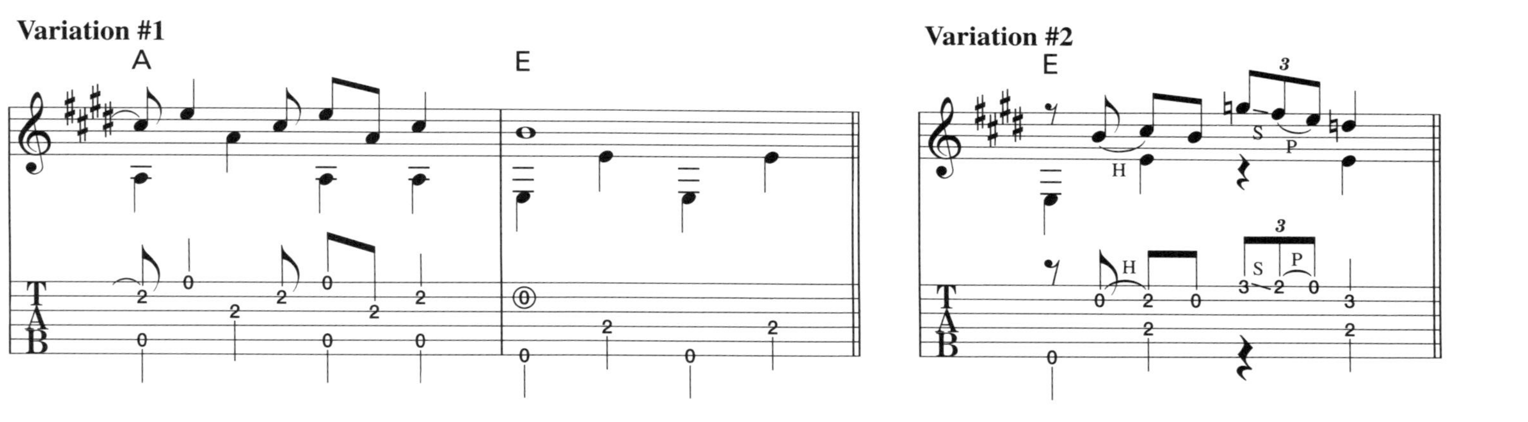

Variation #1
A
E
T
A
B
Variation #2
E
H
S
P
3

Variation #3
E
H
T
A
B

Go Downtown

Fred Sokolow

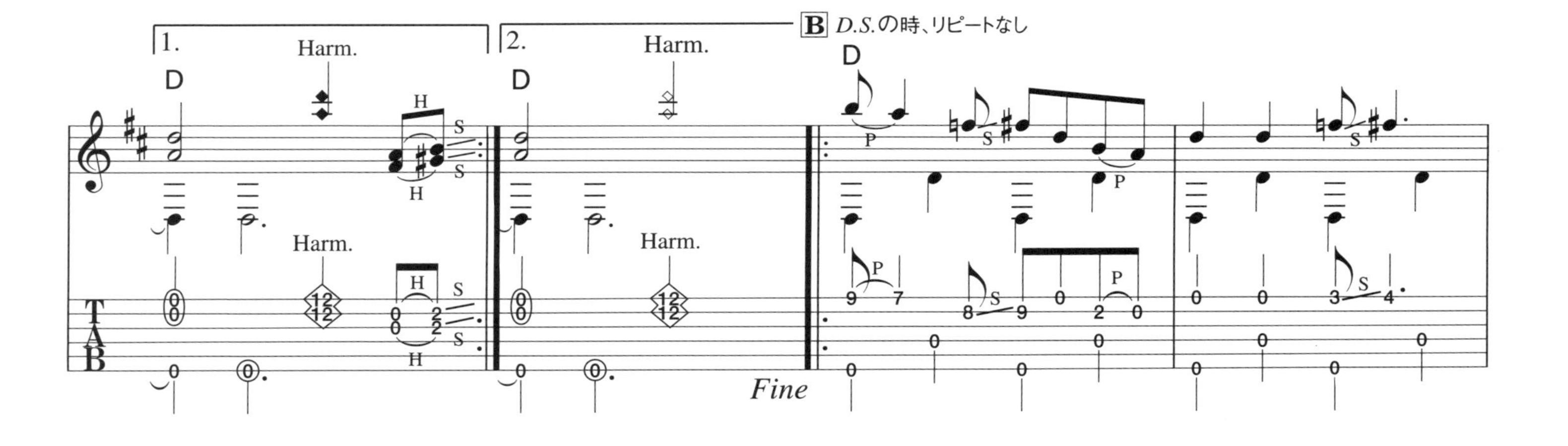

D
1.
2.
C
G
A
A
G
A

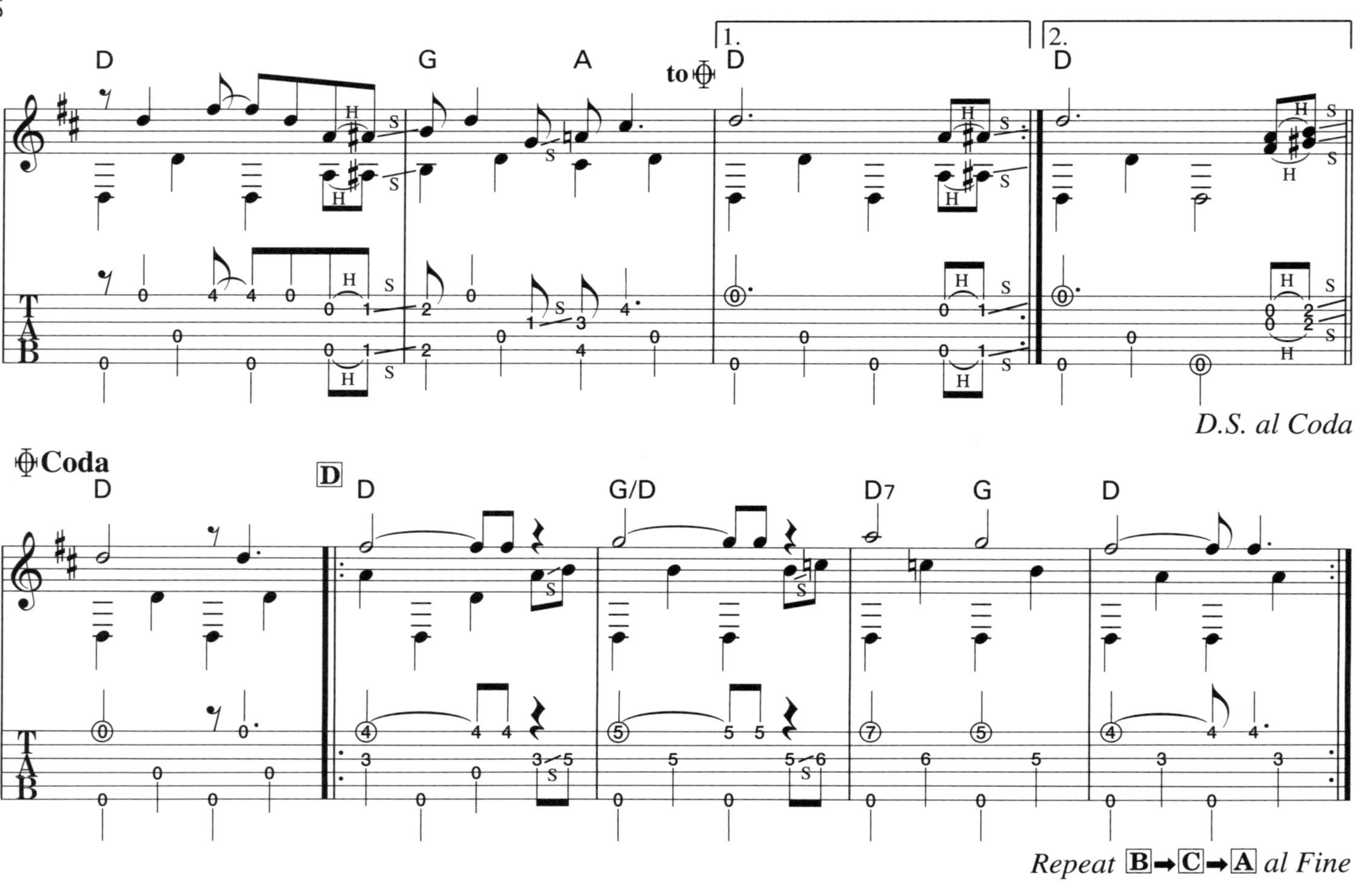
D.S. al Coda
Coda
Repeat B → C → A al Fine

The Way I Am

1.
2.
B
D
D
D
D
G/D
D

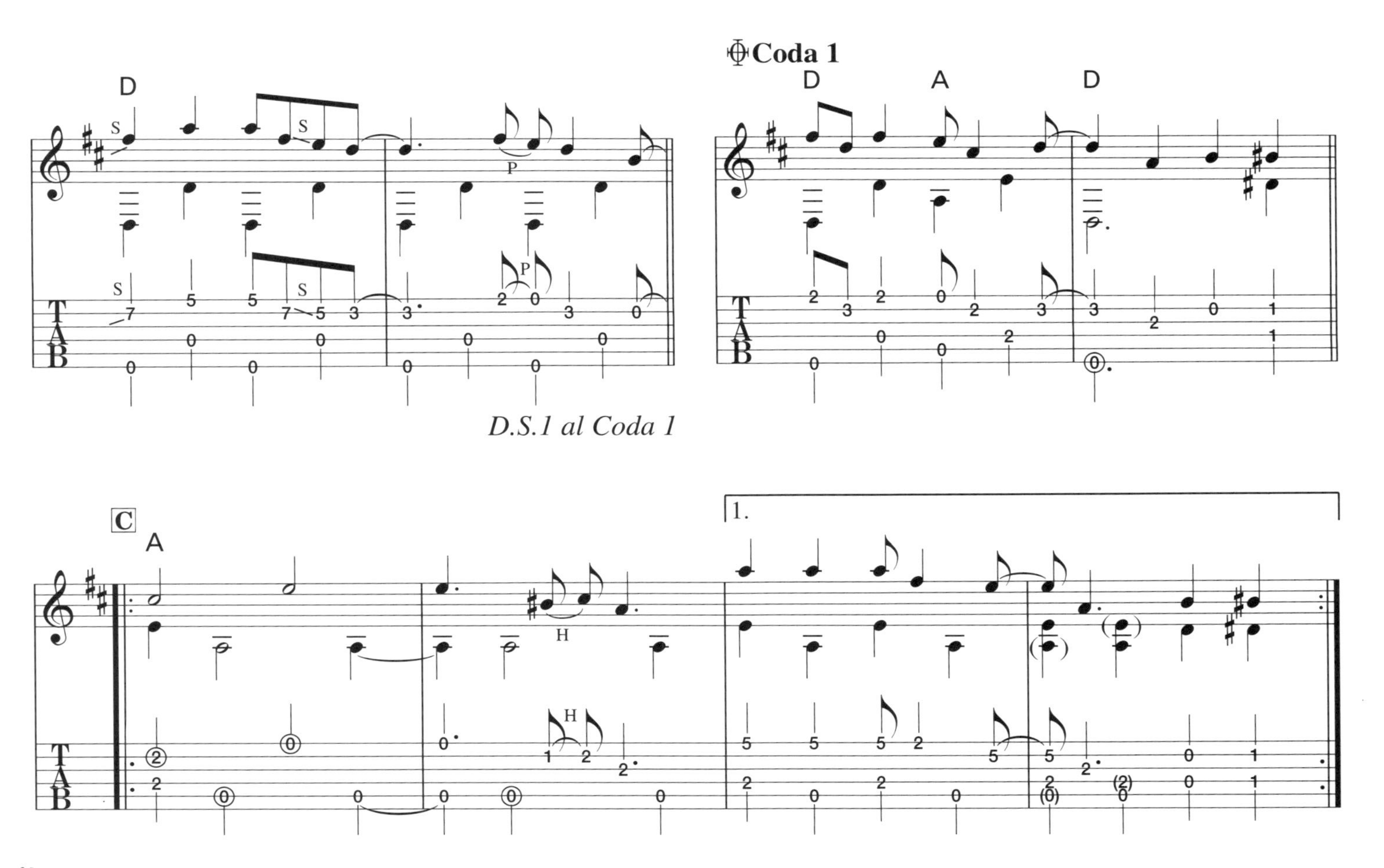
D
D.S.1 al Coda 1
Coda 1
D
A
D
C
A
1.

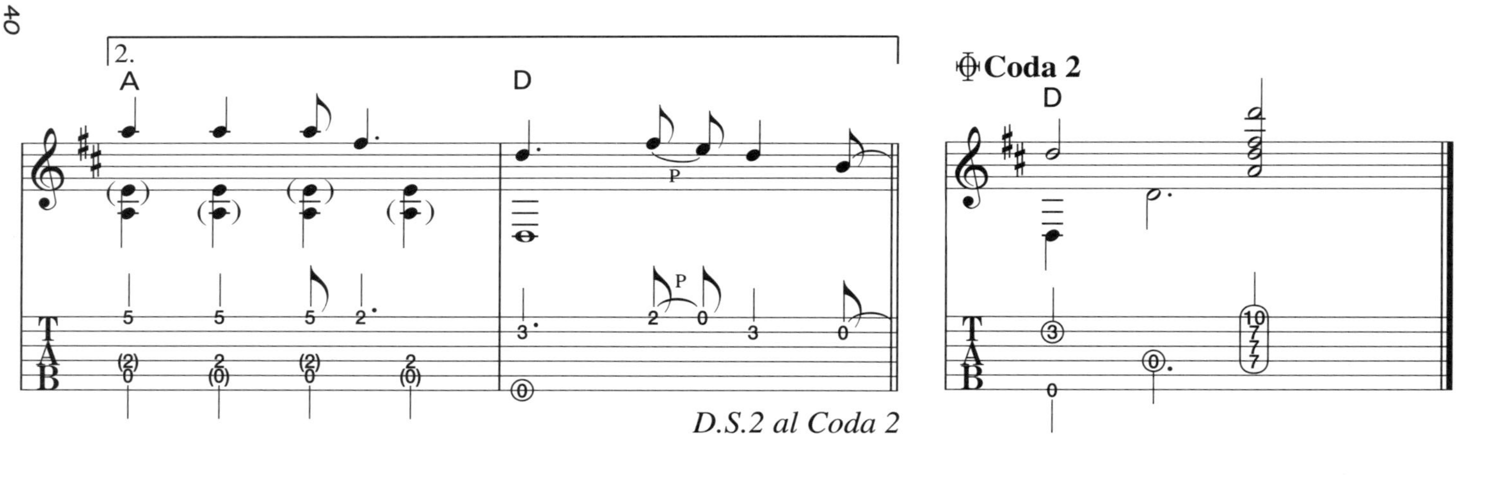
2.
A
D
P
D.S.2 al Coda 2
Coda 2
D
T
A
B

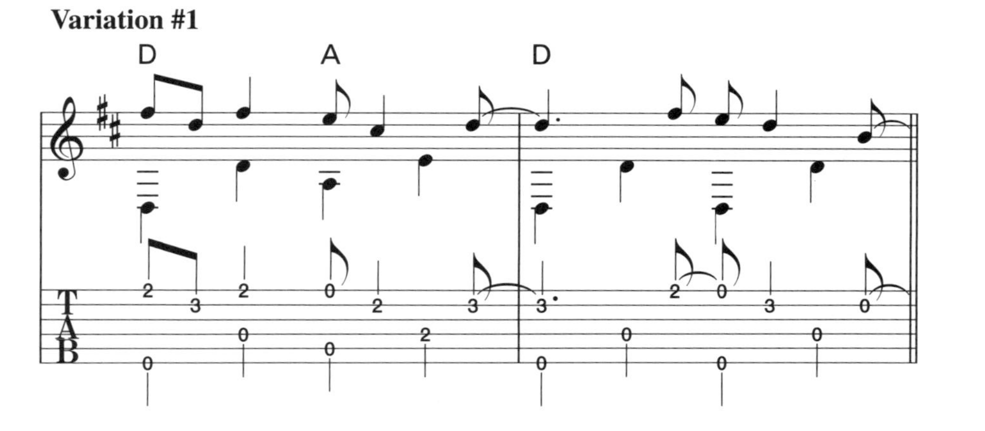
Variation #1
D
A
D
T
A
B

ギターの記譜

左手のフィンガリング

1 =人差し指　**2** =中指　**3** =薬指　**4** =小指　**Th** =親指

ハンマリング・オン
最初の音をピッキングした後、別の指で弦を叩くように高い方の音を出す。ピッキングするのは最初の音だけ。

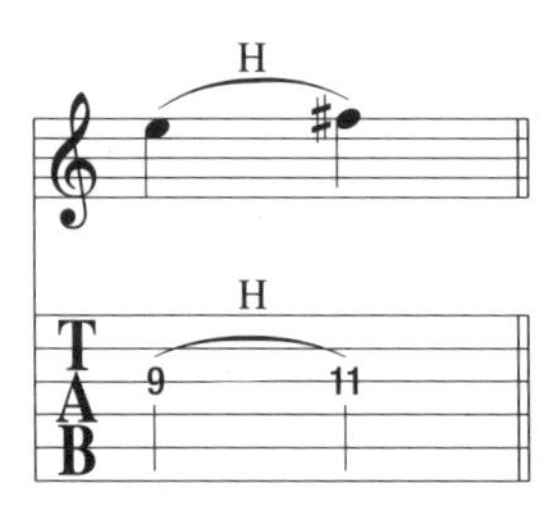

プリング・オフ
最初の音をピッキングした後、別の指で下方向へ弦をひっかくようにして低い方の音を出す。ピッキングするのは最初の音だけ。

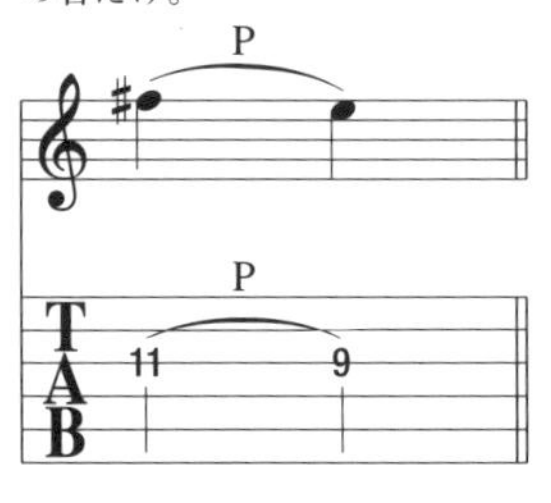

ハンマリング・オン&プリング・オフ
最初の音をピッキングした後、別の指でハンマリング･オンしてその指でプリング･オフする。ピッキングするのは最初の音だけ。逆の場合も同様に行う。

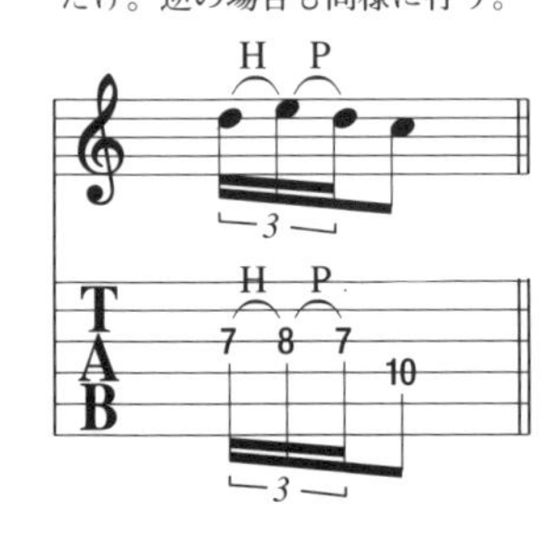

スライド（レガート・スライド）
ピッキングした音、あるいは任意の音から次の音まで、押さえた指を滑らせる。ピッキングするのは最初の音だけ。

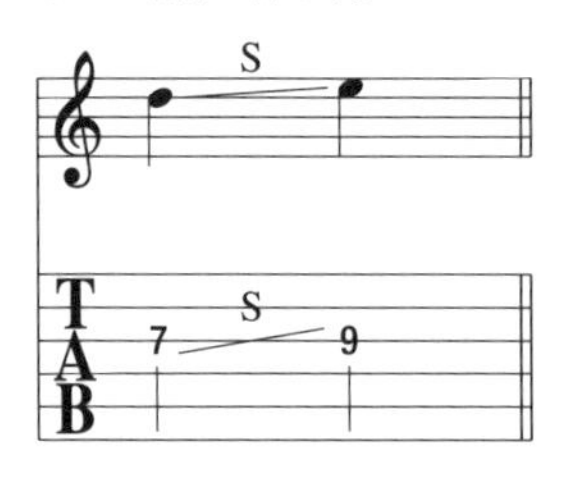

ショート・スライド・アップ
任意の音から指定された音まで、スライドする。

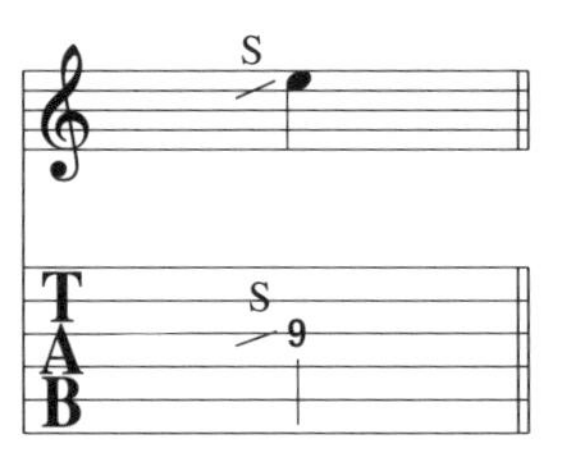

ショート・スライド・ダウン
ピッキングした音、スライド･ダウンする。スライドは特定の音はなく、その長さも自由にできる。

ベンド・アップ
ピッキングの後、指定された音まで弦をベンドする。

ベンド・ダウン
指定された音までベンドしておいてからピッキングし、ベンドをゆるめて元の音程に戻す。

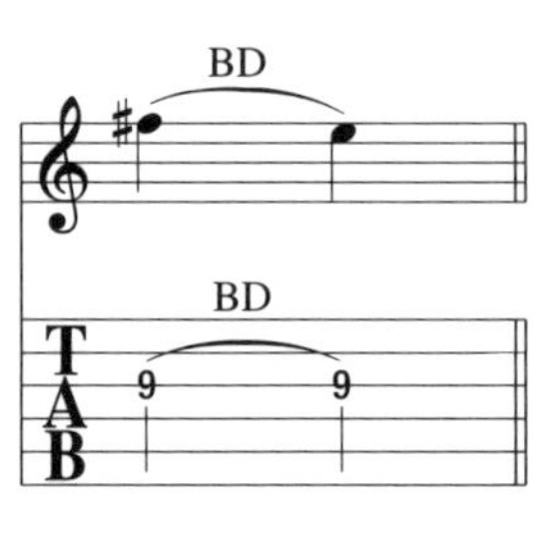

マルチプル・ベンド
ベンド･アップとベンド･ダウンを連続的にくり返す。特に指定がない限り、ピッキングするのは最初の音だけ。

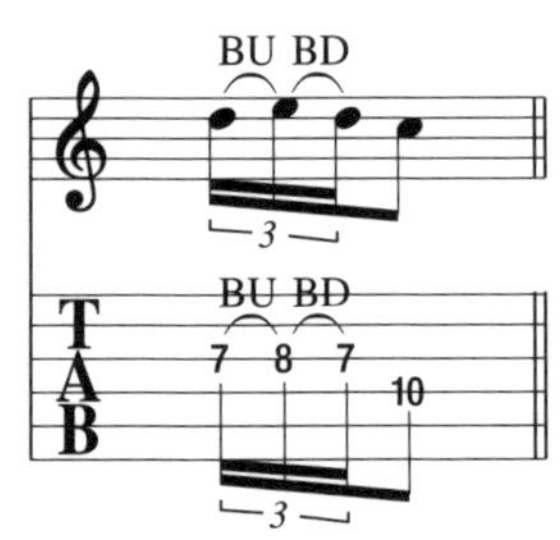

プリ・ベンド&リリース
あらかじめ目標の音までベンドしておきピッキングし、その後ベンド·ダウンで押さえていた音まで戻す。

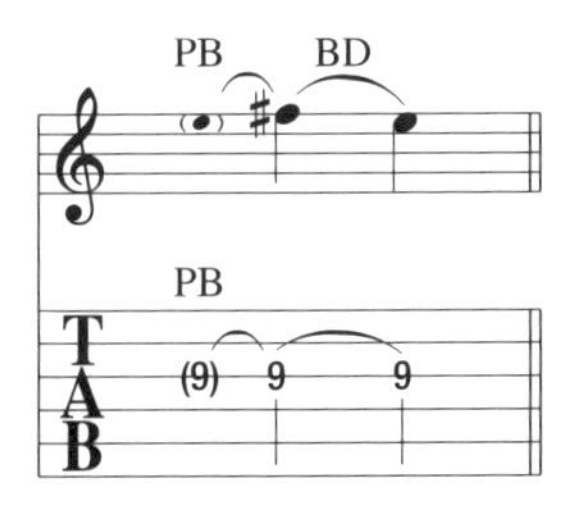

ホールド・ベンド
ベンドした音を持続させたまま他の弦の音をピッキングし、その後ベンドしている音をもう一度ピッキングしベンド·ダウンする。

プリ・ベンド&プル・オフ
プリ·ベンドした音をベンド·ダインしその後プリング·オフで次の音を鳴らす。ピッキングするのは最初の音だけ。

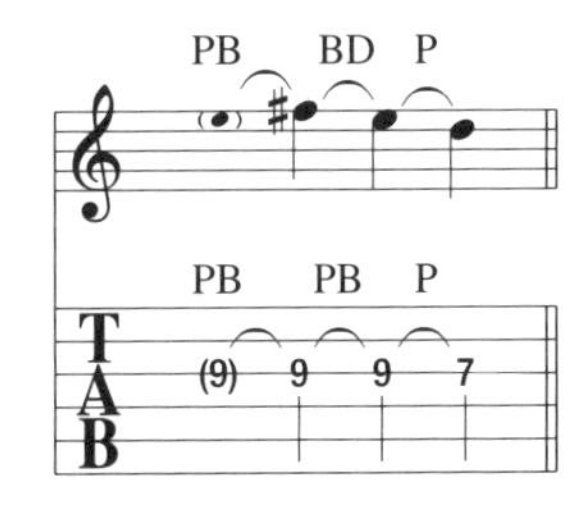

スライト・ベンド(アップ)
ピッキングの後、弦をわずかにベンドして(1フレットの約半分)1/4音程上げる。

スライト・ベンド(ダウン)
弦をわずかに(1フレットの約半分)プリ·ベンドしておき、ピッキングの後ベンドを戻す。

＊ ベンドは楽譜によって表記法が異なることがあります。

ベンド・アップ(またはチョーキング・アップ)= **BU** → cho、cho.U、cho ↑

ベンド・ダウン(またはリバース・ベンド、チョーキング・ダウン)= **BD** → cho、cho.D、cho ↓

スライト・ベンド (ハーフ・チョーキングまたはクオーター・チョーキング)=1/2cho、1/4cho、H.cho、Q.cho

フィンガースタイル・ジャズ・ギター
ウォーキング・ベース・テクニック《CD付》

FINGERSTYLE JAZZ GUITAR / TEACHING YOUR GUITAR TO WALK

定価［本体3,000円＋税］

ジョー・パス、タック・アンドレス、マーティン・テイラーをはじめとする、ソロ・ギターの名手の得意技、ウォーキング・ベース・テクニックをマスターする。

◉ベース・ラインとコードをブレンドして、ひとり2役を演じる、ジャズ・ギターのもっとも魅力的な奏法の基礎を学ぶ◉初めてこの奏法にチャレンジする人にも、エクササイズを順に練習していくだけで、自然に、また確実に習得できるようにプログラムされている◉豊富なエクササイズと練習曲を、TAB譜とCDで楽しくマスター◉ジャズ・ギタリストでないあなたにも、効果的に応用できる

【内　容】

基本テクニック／ブルース進行／ルートへのアプローチ／メトロノームの効果的な使い方／ガイド・トーン／ラテン・タイプのコード進行／II - V - I 進行／コード・ヴォイシング／ドミナント7thサイクル／ラグタイム・テクニック／スウィング・テクニック／ジャズ・ブルース進行／パラレル・コード進行

J.S.バッハ・フォー・エレクトリック・ギター《CD付》

J.S. BACH FOR ELECTRIC GUITAR

定価［本体2,500円＋税］

J.S.バッハ＝それは現代に至ってもなお、ミュージシャンにとって無縁でいられない偉大な存在
すべてのギタリスト必携のバッハ名曲集

◉バッハの芸術を体験し、演奏テクニック（ライト・ハンド、ピックと指のコンビネーション、右手と左手のコンビネーションなど）、イヤー・トレーニング、フレージングなどの効果的な練習ができる◉イングヴェイ・マルムスティーン、ランディ・ローズ、リッチー・ブラックモアなども学んだバッハを弾いて、作曲やインプロヴィゼイションのスキル・アップをしよう◉ギタリストにとって、バッハはとっておきの練習材料になる◉CDの模範演奏は、超一流のギタリストがプレイ（by John Kiefer）◉全曲TAB譜付。

ホールトーン・スケールで弾く
ジャズ・ギター・リックス《CD付》
JAZZ GUITAR LICKS IN TABLATURE

定価［本体3,000円＋税］

パット・マルティーノやスティーヴ・カーンも推薦する、本書「ジャズ・ギター・リックス」は、フレットボードに隠されたホールトーン・スケールの美しさを知ってもらい、今までにないホールトーンのアイディアとその応用を紹介している。

- ドミナント7th(♭5)とドミナント7th(♯5)のコード上で弾くといった、ホールトーン・スケールの今までの使い方から抜け出るには、モダンなインプロヴァイズへのまったく新しい道へ心を開くこと。本書では、インプロヴィゼイションの幅を拡げるのに役立つホールトーンのコンセプトをタップリ収録。
- ホールトーン・スケールは、全音だけで成り立つスケールで、そのため、フレットボード上で探すのことは容易にできる。しかし実際は、均一で密集しているので、ギターでホールトーン・パターンを弾くのは時どき混乱することがある。本書はそんな悩みをいっきに解決してくれる。
- 本書の焦点は、フュージョン・スタイルのインプロヴィゼイションに基礎を置いている。また、これらのフレーズは、スタンダード・チューンによくマッチする。
- 1小節から2小節の短いフレーズから始め、それをつなぎ合わせてオリジナルのリックを創る。
- CDには、本書に掲載の162例を限界まで収録(75分)。リックの宝庫として十分に活用できる。

新ギター・コード・ブック
定価［本体600円＋税］

by Larry McCabe
FAMOUS ROCK GUITAR LINES
QWIKGUIDE

FAMOUS COUNTRY GUITAR LINES
by Larry McCabe
QWIKGUIDE

by Larry McCabe
FAMOUS BLUES GUITAR LINES
QWIKGUIDE

by Larry McCabe
FAMOUS BLUES BASS LINES
QWIKGUIDE

BASIC BLUES HARP
by Phil Duncan
QWIKGUIDE

BASIC CHROMATIC HARMONICA
by Phil Duncan
QWIKGUIDE

by Mat Marucci
15-MINUTE WARM-UPS FOR DRUMS
QWIKGUIDE

by Frank Briggs
DRUM SET DAILIES
RUDIMENTAL APPLICATIONS FOR DRUM SET
QWIKGUIDE

by Chris Matheos
BASS WARM-UPS
QWIKGUIDE

by Chris Matheos
BUILDING AMAZING BASS TECHNIQUE
QWIKGUIDE

GUITAR WARM-UP STUDIES AND SOLOS
by William Bay
QWIKGUIDE

QWIKGUIDE™

by William Bay
JAZZ TUNES
QWIKGUIDE

by William Bay
TUNES FOR GUITAR TECHNIQUE
QWIKGUIDE

by Chris Matheos
FAMOUS JAZZ BASS CHORD PROGRESSIONS
QWIKGUIDE

by Fred Sokolow
GREAT BLUES SOLOS
QWIKGUIDE

by Janet Davis
FAMOUS BANJO PICKIN' TUNES
QWIKGUIDE

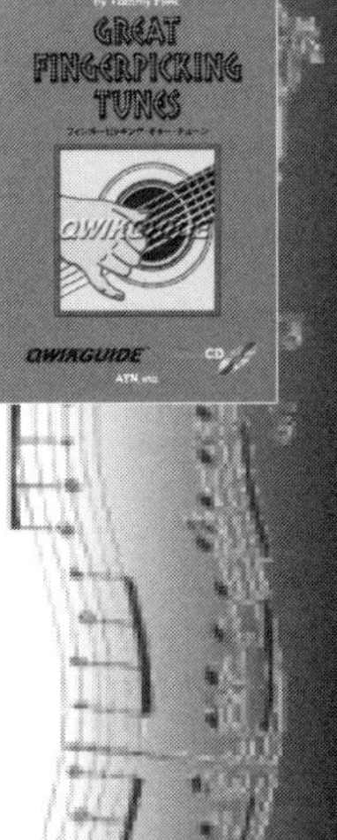
by Tommy Flint
GREAT FINGERPICKING TUNES
QWIKGUIDE

by William Bay
FAVORITE GUITAR PICKIN' TUNES
QWIKGUIDE

Include CD disc

ロック・ギター・ライン《CD付》
FAMOUS ROCK GUITAR LINES

Rolling Stones、*REM*、*Van Halen*、*ZZ Top*、*Tom Prtty*、*Police*、*Styx*、*Roy Orbison*、*Buddy Holly*、*C.C.R.*、*Eagles*、*Doobie Brothers*、*Animals*、*Ted Nugent*、*Eric Clapton*、*Doors*、*38 Special*、*Little River Band*、*B-52's*、*Led Zeppelin*、*Dire Straits*、*Los Lobos*、*Atlanta Rhythm Section*、*Bruce Springsteen*など、1960年代〜80年代の代表的なロック・ギターのスタイルを50例掲載。

カントリー・ギター・ライン《CD付》
FAMOUS COUNTRY GUITAR LINES

誰でも耳にしたことのある、典型的なカントリー・ギターのラインを50例掲載。フラットピッキング・スタイル、ナッシュビル・サウンド、ベイカーズフィールド・サウンド、ウェスタン・スウィングなどさまざまなカントリー・スタイルを楽しく弾こう。

ギタリスト必携のカントリー・ギターのネタ帳。

ブルース・ギター・ライン《CD付》
FAMOUS BLUES GUITAR LINES

Albert King、*Magic Sam*、*Buddy Guy*、*Elmore James*、*John Lee Hooker*、*Hubert Sumlin*、*Andrew Jones*、*Peter Green*、*Henry Vestine*、*Freddie King*、*Charlie Christian*、*Billy Buttler*、*Eric Clapton*、*Jimi Hendrix*、*Lonnie Johnson*、*Sammy Lawhorn*、*Robert Cray*、*Muddy Waters*、*Chuck Berry*、*B.B. King*、*Chriss Johnson*など、さまざまなブルース・ギターのスタイルを50例掲載。

フラットピッキング・ギター・ウォーミング・アップ《CD付》
GUITAR WARM-UP STUDIES AND SOLOS

ギター・ソロを弾く上で、特に重要な右手のピッキングと左手のフィンガリングのコンビネーションを身につける練習曲集。アコースティック・ギターを使って、ソロを弾く前のウォーミング・アップの方法とソロへの応用を練習。本書を使ってウォーミング・アップをすれば、指の動きは明らかにスムーズになる。すべてのギタリスト必携。

ジャズ・ギター・チューン《CD付》
JAZZ TUNES

やさしいジャズのラインをバック・バンドと一緒に楽しく弾こう。難しい理論やテクニックを省き、ジャズ・ぎたーのフレージングの基本や常套句的フレーズが自然に学びとれる。またスウィングだけでなく、ブルース、ビバップ、ジャズ・ワルツなど、ジャズの面白さや楽しさを味わくことができる。

フラットピッキング・ギター・テクニック《CD付》
TUNES FOR GUITAR TECHNIQUE

ギター・ソロを弾く上で、特に重要な右手のピッキングと左手のフィンガリングのコンビネーションを身につける練習曲集。

アコースティック・ギターを使って、ブルース、スウィング、カントリー、ブルーグラス、ワルツなどのいろいろなスタイルの曲を弾きながら確実なフィンガリングを身につける。

フィンガーピッキング・ギター・チューン《CD付》
GREAT FINGERPICKING TUNES

ブルース、カントリー、ブルーグラス、ラグタイム、フォークなどのスタイルの曲で、伴奏とソロを同時に弾くテクニックを身につける。CDとTAB譜で楽々マスター。

ソロ・ギターのテクニックを身につけてストリートへ飛び出そう。

フラットピッキング・ギター・チューン《CD付》
FAVORITE GUITAR PICKIN' TUNES

ブルース、カントリー、ブルーグラス、ラグタイム、フォークなどのスタイルの曲をアコースティック・ギターで楽しく弾こう。

とにかくいろいろなスタイルの曲を弾きたいと思っている人はぜひ挑戦してみよう。

ATN, inc.

GREAT BLUES SOLOS
フィンガースタイル
ブルース・ギター・ソロ

発行日 2001年 9月 1日（初版）
著者 Fred Sokolow
翻訳 中村 春香
監修 林 雅諺
楽譜作成 株式会社 アルス ノヴァ
発行・発売 株式会社 エー・ティー・エヌ

住所 〒161-0033
東京都新宿区下落合 3-12-21 目白エミネンス102
TEL 03-6908-3692 / FAX 03-6908-3694
ホーム・ページ http://www.atn-inc.jp

3935

ISBN4-7549-3935-2